삶의 무기가 되는 생성형 AI

일상을 혁신하는 인공지능 활용법

삶의 무기가 되는 생성형 AI

발 행 | 2024년 03월 01일
저 자 | 유장휴
펴낸이 | 한건희
펴낸곳 | 주식회사 부크크
출판사등록 | 2014.07.15.(제2014-16호)
주 소 | 서울특별시 금천구 가산디지털1로 119 SK트윈타워 A동 305호
전 화 | 1670-8316
이메일 | info@bookk.co.kr

ISBN | 979-11-410-7320-6

삶의 무기가 되는 생성형 AI

일상을 혁신하는 인공지능 활용법

유장휴 지음

CONTENT

우리가 살고 있는 이 시대는 기술의 진보가 일상의 모든 영역을 변화시키고 있습니다. 그 중심에 있는 것이 바로 인공지능(AI)입니다. 인공지능은 이제 우리의 일상과 밀접하게 연결되어, 삶의 질을 향상시키고, 일과 창의성에 혁신을 가져오고 있습니다. 이 책, "삶의 무기가 되는 생성형 AI: 일상을 혁신하는 인공지능 활용법"은 바로 그런 인공지능의 다양한 활용법을 소개하고자 합니다.

이 책은 AI를 처음 접하는 분들부터, 이미 일상에서 AI를 활용하고 있으나 더 깊이 있게 이해하고 싶은 분들, 그리고 AI를 전문적으로 활용하여 자신의 업무나 창작 활동에 혁신을 꾀하고자 하는 분들까지 모든 독자들을 위한 가이드가 될 것입니다. 책은 크게 세 파트로 구성되어 있으며, 각 파트는 인공지능을 활용한 생활의 혁신을 주제로 다룹니다.

첫 번째 파트, "AI 가볍게 시작하기"는 일상에서 쉽게 접할 수 있는 AI 도구들을 소개합니다. 자동으로 PPT를 만들어주는 도구에서부터 유튜브 영상을 요약해주는 서비스, 사진과 동영상의 배경을 한 번에 제거해주는 마법 같은 도구, 음성을 텍스트로 변환하는 애플리케이션, 그리고 글쓰기를 도와주는 AI까지, 다양한 도구들을 통해 AI의 기본적인 활용법을 익힐 수 있습니다.

두 번째 파트, "AI 재미있게 활용하기"는 AI를 사용하여 새로운 취미를 시작하거나, 창의적인 작업을 하는 데 도움을 주는 도구들을 다룹니다. 사진으로 말하는 동영상을 만들어주는 도구, 주제만 입력하면 동영상을 자동으로 제작해주는 서비스, AI를 통해 노래를 제작하는 방법, AI 화가로 그림을 그리거나 만화를 창작하는 방법 등을 통해 AI의 창의적인 사용법을 탐색합니다.

마지막 파트, "AI 전문가처럼 활용하기"는 AI를 활용해 전문적인 작업을 수행하는 방법을 소개합니다. 다국어 더빙, 텍스트를 동영상으로 변환, 이미지 편집, 웹사이트 제작 등, AI 기술을 활용하여 자신의 작업을 한 단계 업그레이드할 수 있는 방법을 배울 수 있습니다.

이 책을 통해 독자 여러분은 AI가 단순한 기술을 넘어 우리 삶의 무기가 될 수 있음을 발견하게 될 것입니다. AI를 활용하여 일상을 더욱 효율적이고, 창의적이며, 풍요롭게 만들어가는 여정에 함께 하시길 바랍니다. "삶의 무기가 되는 생성형 AI"와 함께라면, 미래는 이미 우리 손안에 있습니다.

CHAPTER 01

AI 가볍게 시작하기

01-1 자동으로 PPT를 만들어 주는 Gamma

감마(Gamma)는 혁신적인 AI 기반 서비스로, 사용자가 주제만 입력하면 자동으로 파워포인트 프레젠테이션을 생성해주는 플랫폼입니다. 이 서비스는 시간이 부족하거나 디자인에 자신이 없는 사용자들에게 매우 유용하며, 복잡한 프레젠테이션 제작 과정을 간소화하여 누구나 쉽게 전문적인 수준의 프레젠테이션을 만들 수 있도록 돕습니다. 감마를 사용함으로써, 사용자는 자신의 아이디어를 효과적으로 전달할 수 있는 매력적이고 설득력 있는 슬라이드를 빠르게 제작할 수 있습니다. 이 서비스는 최신 AI 기술을 활용하여 사용자의 요구 사항을 분석하고, 관련 이미지, 텍스트, 그리고 레이아웃을 자동으로 조합하여 최적화된 프레젠테이션을 제공합니다.

GAMMA 특징
- 텍스트 입력하면 PPT로 제작
- 무료 400크래딧 제공(1회에 40크래딧 차감)
- 한국어 입력 가능

---

1. gamma.app 웹사이트로 접속하고 회원가입 합니다.

2. 새로 만들기를 누릅니다.

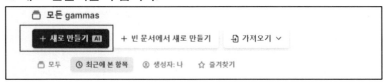

3. 생성를 클릭합니다.

4. 주제 입력창에 주제를 입력하고 개요 생성을 누릅니다.

주제는 한국어로 입력하고 프레젠테이션, 문서, 웹페이지를 만들수 있습니다. 우리는 프레젠테이션을 선택하겠습니다.

5. 목차를 확인하고 계속을 클릭합니다.

　목차는 수정 가능합니다. 불필요한 부분은 삭제하고, 더 추가할 내용은 직접 추가합니다. 내가 원하는 목차가 나오지 않을 경우 처음부터 다시 시작합니다. AI는 반복 작업을 하도록 하여 가장 최상의 작업물이 나오도록 계속합니다.

5. 디자인을 선택합니다.

1) 　디자인을 선택합니다.
2) 　생성을 클릭하고 일정 시간을 기다리면
3) 　PPT가 만들어집니다.

6. 완성된 파일 PPT파일로 저장하기

1) 공유
2) 내보내기
3)PowerPoint로 내보내기
4) 완료

01-2 유튜브를 요약해주는 릴리스AI

릴리스 AI(lilys.ai)는 동영상, PDF 문서, 그리고 녹음 파일을 다양한 형식의 콘텐츠를 간결하고 명확한 요약 노트로 변환해 주는 서비스입니다. 사용자가 유튜브 주소를 입력하면, 릴리스 AI는 해당 동영상의 주요 내용을 파악하여 핵심 정보와 중요 포인트를 담은 요약문을 생성합니다. 이 서비스는 정보의 바다에서 필요한 지식을 빠르게 흡수하고자 하는 사용자에게 도움을 줍니다. 릴리스 AI의 기술은 단순히 동영상 콘텐츠에만 국한되지 않고, 릴리스 AI를 사용함으로써, 사용자는 복잡하고 시간이 많이 소요되는 콘텐츠의 분석과 요약 과정을 AI에 맡길 수 있으며, 이를 통해 더 중요한 작업에 집중할 수 있습니다.

> **릴리스 AI 특징**
> - 무료 이용 가능
> - 영상, PDF, 실시간 녹음 요약
> - 영상 내용을 블로그 글로 변환 가능

1. lilys.ai웹사이트로 접속하고 회원가입 합니다.

2. 요약하고 싶은 유튜브 주소를 복사합니다.

유튜브 주소 복사 방법
유튜브 영상>공유>복사

2. 요약하고 싶은 유튜브 주소를 복사합니다.

1) 복사한 주소를 붙여넣기 합니다.
2) 요약하기 버튼을 클릭합니다.

3. 요약된 결과를 확인합니다.

1) 요약노트: 요약된 노트를 확인합니다.
2) 녹취 스크립트: 유튜브에 있는 원고를 볼 수 있습니다.

3) 타임스템프: 요약 내용 클릭하면 해당 영상이 플레이 됩니다.

4) 블로그 글: 영상 내용이 블로그 글로 작성됩니다.

5) 공유하기: 다른 사람에게 요약된 글을 공유할 수 있습니다.

4. 활용하기

텍스트 요약기능

기존에 갖고 있는 텍스트를 입력하고 텍스트 요약하기를 누르면
텍스트가 요약됩니다.

아래와 같이 1)원본 글 2)요약노트로 만들어집니다.

어려운 지식을 쉽게 정리할 수 있습니다.

01-3 한방에 동영상, 사진 배경제거, 캡컷 마법도구

　　캡컷 마법도구는 사진과 동영상에서 배경을 한 번에 제거할 수 있는도구입니다. 이 서비스를 통해 사용자는 복잡한 편집 기술이나 추가 소프트웨어 없이도 단 몇 초 만에 원하는 이미지나 비디오의 배경을 삭제할 수 있습니다. 사진이나 동영상을 업로드하기만 하면, 캡컷의 AI 기술이 자동으로 배경을 식별하고 제거하여, 깔끔하고 전문적인 결과물을 생성합니다. 이 도구는 특히 SNS 콘텐츠 제작자, 그래픽 디자이너, 비디오 편집자, 마케팅 전문가 등 다양한 분야의 전문가들에게 매우 유용하며, 빠르고 효율적인 작업 수행을 가능하게 합니다.

캡컷 마법의 도구 특징
- 사진, 동영상 업로드하면 끝!
- 현재까지는 무료 이용.
- 동영상 최대 1G이하만 가능

---

1. www.capcut.com에 접속하고 회원가입을 합니다.

2. 마법의 도구 > 배경제거를 선택합니다.

3. 파일 업로드

　업로드 혹은 "여기에 파일 끌어도 놓기"를 하여 배경을 삭제할 이미지 혹은 동영상을 업로드 하면 자동으로 배경 삭제됩니다. 사진이나 동영상이 없을 경우 아래 샘플을 사용해 보세요.

4. 결과 확인 및 다운로드

1) 배경이 삭제된 결과물을 확인합니다.

2) 내보내기: 파일이름을 정하고 형식을 지정합니다.

3) 내보내기를 누르면 내 컴퓨터에 파일로 저장됩니다.

01-4 음성을 텍스트로 변환한다, 클로바 노트

    클로바 노트는 네이버에서 개발한 음성 인식 및 변환 서비스로, 회의록, 강의 파일, 녹음된 음성 등을 텍스트로 신속하고 정확하게 변환해주는 기능을 제공합니다. 이 서비스는 단순히 음성을 텍스트로 변환하는 것을 넘어, AI 기술을 활용하여 변환된 텍스트의 요약까지 제공하며, 사용자에게 보다 효율적인 정보 습득과 관리 방법을 제시합니다. 클로바 노트의 독특한 기능 중 하나는 참석자의 목소리를 구분하는 능력입니다. 이를 통해 회의나 강의에서 누가 어떤 내용을 말했는지 명확하게 식별할 수 있어, 후속 작업 및 참조에 큰 도움이 됩니다.

클로바 노트의 특징

- 음성 업로드 –> 텍스트 변환
- 참석자를 목소리로 구분함.
- 매달 300분 무료 사용

---

1. clovanote.naver.com로 접속하고 회원가입을 합니다.

2. 새노트를 눌러 파일을 업로드 합니다.

1) 새 노트 클릭
2) 제목 입력
3) 파일 첨부

3. 음성 종류와 참가자 수를 선택합니다.

음성 종류 대화, 회의, 인터뷰, 메모
참석자 수 1~5명 이상
회의 종류와 참가자 수를 정확하게 입력하면 분석에 도움됩니다.

4. 텍스트로 변환된 결과물 확인

1) 음성기록: 텍스트로 기록됩니다.
2) 참가자가 구분됩니다. (이름 변경 가능)
3) 요약: AI로 내용을 요약해 줍니다.
4) 공유: 다른 사람에게 공유 가능합니다.

5. 클로바 노트 스마트폰에서 사용하기

스마트폰에서 사용할 경우
1) 클로바노트 어플을 설치합니다.
2) 모바일에서도 녹음이 가능합니다.

01-5 블로그부터 유튜브 대본 작성까지 AI글쓰기, 뤼튼

뤼튼은 다양한 글쓰기 작업을 위한 AI 도구로, 블로그 포스팅부터 SNS 광고 문구, 상세 페이지 내용, 유튜브 대본, 보도자료 작성에 이르기까지 광범위한 콘텐츠 생성을 지원합니다. 이 도구는 최신 AI 기술을 활용하여 사용자가 목적에 맞는 고품질의 텍스트를 신속하고 효율적으로 생성할 수 있도록 돕습니다.

뤼튼은 OpenAI의 ChatGPT, GPT-3.5, GPT-4와 같은 AI 모델을 비롯하여, 네이버의 하이퍼클로바, Stability AI의 Stable Diffusion 등 다양한 AI 기술을 통합하여 제공합니다. 이러한 폭넓은 기술 범위는 사용자가 특정 주제나 스타일에 최적화된 콘텐츠를 생성할 수 있게 하며, 지속적인 모델 추가를 통해 서비스의 범위와 품질을 끊임없이 확장하고 있습니다.

뤼튼의 사용은 매우 간단합니다. 원하는 콘텐츠의 유형과 주제를 입력하기만 하면, AI가 자동으로 관련된 고품질의 텍스트를 생성해 냅니다. 이로 인해 사용자는 콘텐츠의 기획부터 제작까지의 과정을 크게 단축시킬 수 있으며, 창의적인 아이디어를 실현하는 데 필요한 시간과 노력을 절약할 수 있습니다.

뤼튼 특징
- 템플릿으로 글쓰기 작성
- 무료 이용
- Chat GPT와 사용방법 유사함

---

1. wrtn.ai 웹페이지에 접속하고 회원가입을 합니다.

2. 툴 메뉴 선택

1) 툴 메뉴
2) 툴메뉴로 이동하면 다양한 도구가 있습니다.

블로그 포스팅, SNS광고문구, 구글검색광고, 인스타그램 캡션, 카피라이팅, SNS광고기획, 상세페이지, 제품 소개, 리뷰 답변, 면접 예상 질문, 자기 소개, 레포트 등 필요한 양식을 선택할 수 있습니다.

3. 블로그 글쓰기 도전하기

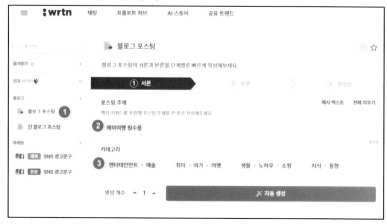

1) 글쓰기 메뉴: 블로그 포스팅 선택
2) 주제 입력
3) 카테고리 선택
4) 자동생성

4. 블로그 결과물 확인

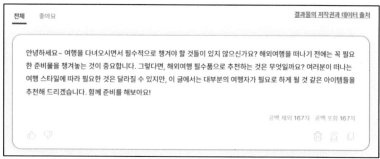

 블로그 결과물을 확인합니다. 원하는 결과물이 나오면 [다음단계]를 클릭하고 다시 작성하려면 [자동생성]을 클릭합니다.

5. 유튜브 원고 작성 도전

1) 유튜브 숏츠 대본 메뉴 선택 2) 주제 입력 3) 자동 생성

6. 결과물 확인

유튜브 숏츠 대본이 완성됩니다.
1) 결과물 확인
2) 복사하기

7. 자기소개서 글쓰기 도전

자기 소개서나 회사 소개, 보도 자료 같이 내용이 필요한 글쓰기는 세부 내용을 입력하는 별도 공간이 있습니다. 자기 소개서 같은 경우 지원회사이름, 직군, 본인 이력 등을 입력하면 내용안에 입력한 내용을 포함해서 작성해 줍니다.

1) 자기소개서 메뉴 선택
2) 지원 회사 이름과 내용 입력
3) 자동 생성으로 결과물 만들기

01-6 챗GPT로 인생 상담하기_챗GPT 보이스

챗GPT 보이스는 인공지능 기술을 활용하여 사용자와 자연스러운 대화를 가능하게 합니다. 이 도구는 인간처럼 대화하며 다양한 문제 해결, 상담, 조언을 제공합니다. 마치 영화 "아이언맨"에서 나오는 자비스 비서처럼, 사용자는 챗GPT 보이스에게 질문을 하고, 생각을 공유하며, 실시간으로 응답을 받을 수 있습니다.

챗GPT 보이스는 복잡한 인생 문제부터 일상적인 고민까지 다양한 주제에 대해 상담할 수 있는 능력을 갖추고 있습니다.

사용자는 챗GPT 보이스를 통해 언제 어디서나 개인적인 멘토를 가진 것처럼 조언을 구하고, 다양한 시각에서 문제를 바라볼 수 있는 통찰을 얻을 수 있습니다. 이는 정서적 지원뿐만 아니라, 의사결정 과정에서도 큰 도움을 줄 수 있으며, 사용자가 자신의 생각과 감정을 정리하는 데에도 유용합니다.

챗GPT보이스 특징
- 챗GPT보이스는 어플에서만 작동합니다.
- 무료 버전에서 사용 가능합니다.
- 목소리를 변경할 수 있습니다.

1. 스마트폰에서 챗GPT어플을 설치하고 가입합니다.

앱스토어, 플레이스토어에 들어가서 Chat GPT어플을 설치하고 가입합니다. 가입이 끝나면 바로 대화를 시작할 수 있습니다.

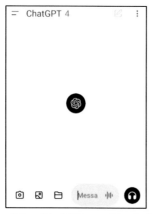

텍스트를 입력도 가능하지만 헤드셋 모양을 누르면 음성으로 대화를 할 수 있습니다.

2. 말로 물어보기

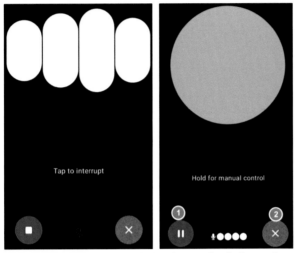

대화가 시작되면 말로 하면 챗GPT가 상담을 해줍니다. 대화를 끝내고 싶으면 1)일시중지, 혹은 정지버튼을 누르거나 대화를 중단하고 싶다면 2) X버튼을 누릅니다.

3. 대화 내용 텍스트로 보기

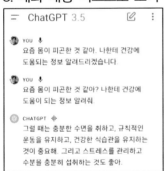

X버튼을 누르면 대화 내용을 텍스트로 볼 수 있습니다.

4. Chat GPT AI목소리 변경하기

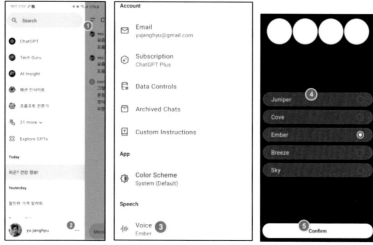

챗GPT 어플에서는 인공지능 목소리를 변경할 수 있습니다.

1) 더보기 클릭

2) 점 세 개 더보기 클릭

3) Voice 선택

4) 목소리를 들어보고 마음에 드는 목소리를 선택

5) Comfirm으로 확인

CHAPTER 02

AI 재미 있게 활용하기

02-1 사진으로 말하는 동영상 만들기, DID AI

DID AI는 사용자의 사진을 생동감 넘치는 동영상으로 변환하는 인공지능 프로그램입니다. 단순히 사진을 업로드하는 것만으로, 사용자는 자신의 이미지가 입을 움직이고, 얼굴 표정이 변하는 등 실제로 생명을 얻은 듯한 영상을 얻을 수 있습니다. 이 기술은 개인의 사진을 기반으로 하여, 마치 사진 속 인물이 말하고, 웃고, 감정을 표현하는 것처럼 보이게 만듭니다.

DID AI는 최신 AI 기술을 활용하여 사진에 디테일과 자연스러운 움직임을 부여함으로써, 기존에 정적이었던 이미지를 마법처럼 생동감 있게 만듭니다. 이 프로그램은 사용자가 사진 한 장만으로도 개인적인 메시지, 인사말, 마케팅 콘텐츠 등을 독특하고 창의적인 방식으로 전달할 수 있게 해 줍니다.

DID AI 특징
- 샘플 아바타, 내 사진 모두 가능
- 대사를 입력하면 말하는 아바타로 만들어줍니다.
- 무료버전 5분 가능

1. www.d-id.com에 접속하고 회원가입을 합니다.

Guest 메뉴> Login/Signup으로 회원가입을 진행합니다.

2. Create Video 클릭

3. 아바타 선택 & 화면 비율 선택

내 사진을 업로드하고 캔버스로 사진을 옮겨야 합니다. 가장 먼저 Fit 메뉴를 눌러 가로, 세로, 1:1 화면 비율을 선택합니다. 참고로 기존에 있던 아바타를 선택할 수 있습니다.

1) Fit를 눌러 화면 비율을 선택합니다. 가로, 1:1, 세로
2) +Upload를 눌러 내 사진을 업로드 합니다.
3) 업로드된 사진을 클릭하면 캔버스로 사진이 이동됩니다.

4. 대본 입력 & 언어 선택

아바타가 말할 대본을 입력합니다.

1) 텍스트 대본 입력
2) 한국어 선택

3) 남자, 여자 성별 선택

4) 말하기 스피드 선택

5. 배경, 자막 선택

1) 영상에 텍스트 추가합니다

2) 영상 배경을 변경합니다.

3) 적용된 모습

4) Generate Video를 눌러 영상을 제작합니다.

(자막과 배경을 선택합니다.)

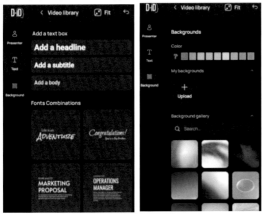

6. 결과물 확인 및 공유

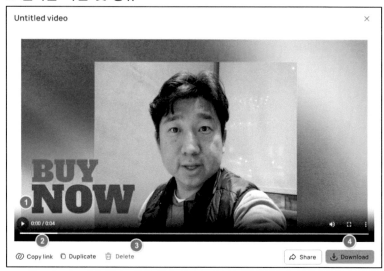

1) 플레이 버튼을 누르면 영상이 재생됩니다.
2) Copy Link로 영상을 공유할 수 있습니다.
3) 삭제 기능
4) 영상을 다운로드 합니다.

7. 서비스 요금

무료 버전은 워터마크가 삽입됩니다.

02-2 주제만 입력하면 자동으로 동영상으로, 비디오 스튜

비디오 스튜(videostew)는 영상 제작의 모든 과정을 간소화하고 자동화하는 서비스로, 사용자가 원하는 주제만 입력하면 대본부터 영상, 더빙, 자막, 그리고 배경음악까지 한 번에 완성되는 통합 영상 제작 솔루션입니다. 이 서비스는 복잡하고 시간이 많이 소요되는 전통적인 영상 제작 프로세스를 혁신적으로 단순화하여, 누구나 쉽고 빠르게 전문적인 퀄리티의 영상을 제작할 수 있게 해 줍니다.

비디오 스튜는 AI 기술을 활용하여 사용자의 입력을 바탕으로 맞춤형 대본을 작성하고, 이를 토대로 시각적으로 매력적인 영상을 자동으로 생성합니다. 또한, 인공지능 더빙 기술을 통해 다양한 목소리와 언어로 더빙을 추가하며, 영상에 맞는 자막과 배경음악을 자동으로 편집하여 영상의 완성도를 높입니다.

비디오 스튜 특징
- 제목을 입력하면 동영상으로!
- 대본을 입력하면 동영상으로!
- 블로그 주소를 입력하면 동영상으로!
- 유료버전(14일간 무료로 테스트 가능)

---

1. videostew.com에 접속하고 회원가입을 합니다.

비디오스튜는 14일 무료 체험가능합니다.

https://videostew.com/code/P0BLCHFNEM

위 링크로 접속하시면 30일 체험으로 변경됩니다.

무료는 워터마크가 있으며 워터마크를 삭제하려면 유료로 전환해야

합니다.

2. 템플릿 메뉴에서 샘플 확인

비디오스튜를 이용할 때 가장 먼저 템플릿 샘플을 확인합니다.

템플릿에는 비디오스튜가 만들 수 있는 영상 종류를 볼 수 있습니

다. SNS별, 비율별, 프로모셔별, 형식별, 유튜브별 등 템플릿 종류가

다양합니다. 어떤 영상을 만들 수 있는지 확인하고 작업을 시작하

기 바랍니다.

3. 주제(제목)로 동영상 만들기 실습_원고작성

1) 프로젝트 만들기 선택

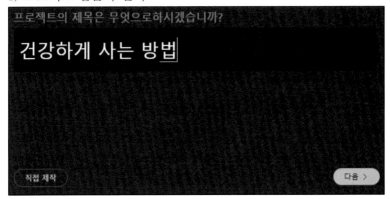

2) 제목 입력 -> 다음

2) 본문 텍스트 선택 -> 다음

3) 글 다듬기

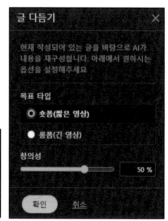

4) 제목 기반으로 글 생성 -> 확인
5) 숏폼, 롱폼 선택 후 확인

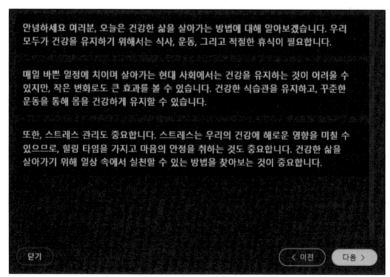

6) 원고 확인 후 다음(원고 내용은 수정할 수 있습니다)

4. 템플릿 선택

마음에 드는 템플릿은 선택합니다.

5. 화면비율, AI목소리 세부 설정하기

1) 프로젝트 크기: 가로 16:9, 세로 9:16, 1:1비율 1:1 선택
2) 배경음악 선택 3) 나레이션: 인공지능 목소리 선택
4) 전환효과 5) 자동비주얼: 스톡비디오, 비디오 추가 없음
6) 텍스트: 폰트 선택

6. 동영상 결과물 확인하기

미리보기 > 전체 미리보기를 눌러 결과물을 확인합니다.

7. 편집 창 살펴보기

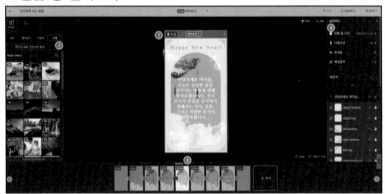

만들어진 영상은 세부 수정 가능합니다. 텍스트를 수정하거나 기존 영상 혹은 새로운 영상으로 변경할 수 있습니다. 내 영상을 업로드하여 사용할 수 있습니다.

1) 미리보기
2) 페이지 클릭하여 내용 수정
3) 사진, 동영상, 텍스트 추가 메뉴
4) 세부 메뉴(폰트, 배경요소 등)

8. 동영상(사진) 변경하기

1) 변경할 페이지를 선택합니다.
2) 스톡 > 검색창에서 원하는 키워들 검색합니다.
3) 동영상이 검색되면
4) 변경하려는 동영상으로 드래그하면 영상이 변경됩니다.

9. 동영상 다운로드

1)저장 2)다운로드 3) 공유 : 다운로드를 눌러 영상을 저장합니다.

02-3 노래를 선물하세요 AI 노래제작 Suno AI

SUNO AI는 인공지능 기술을 활용해 사용자가 원하는 주제에 맞춰 노래를 작사하고 작곡하는 도구입니다. 생일 축하, 졸업 축하, 회사 홍보 등 다양한 테마와 상황에 맞는 맞춤형 노래를 만들어낼 수 있습니다. 단지 주제를 입력하는 것만으로, SUNO AI는 그 주제에 맞는 가사를 창조하고 멜로디를 구성하여 고유한 노래를 완성시켜 줍니다. 이 도구는 감정을 전달하고 특별한 순간을 더욱 의미 있게 만들고자 하는 개인이나 기업에게 이상적인 솔루션을 제공합니다. SUNO AI를 통해, 사용자는 전문적인 음악 지식이 없어도 몇 분 안에 개인화된 노래를 만들어낼 수 있으며, 이를 선물하거나 다양한 목적으로 활용할 수 있습니다. 간단한 몇 단계만으로 누구나 쉽게 접근하고 이용할 수 있습니다. 생일축하, 졸업축하, 회사홍보 노래를 직접 만들어 선물하세요. 누구나 제목만 입력하면 노래가 만들어집니다.

수노 AI 특징
- 주제를 입력하면 노래로 제작
- K-POP, RAP등 스타일을 정합니다.
- 하루 10곡을 무료로 만들 수 있습니다.

---

1. www.suno.ai 에 접속하고 회원가입을 합니다.

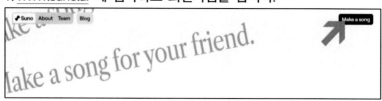

Makea song > Sign up으로 회원 가입을 진행합니다.

다른 사람들이 만든 노래를 들어 볼 수 있습니다.

2. 노래 제작하기

노래 주제를 입력하고 생성합니다.

1) Crate 메뉴
2) 주제 한글로 입력
3) Create로 노래 생성

Ex) 00님 생신 축하합니다.

Ex) 짜장면 먹고 싶어

Ex) 00님 승진 축하합니다.

3. 생성된 노래 듣기

1분 내외로 멋진 노래가 만들어집니다.
1) 제목을 클릭하면 노래 듣기
2) 가사를 볼 수 있습니다.
3) 점 세 개를 클릭하면 세부 내용을 볼 수 있습니다.

4. 노래 다운로드 및 공유하기

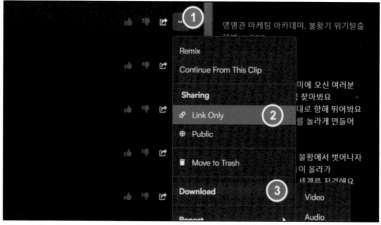

더 보기 메뉴를 클릭하면 만들어진 곡의 삭제. 공유, 다운로드를 할
수 있습니다.
1) 더보기 메뉴 2) 링크로 공유하기 3) 다운로드 비디오/오디오

5. 노래 수정하기

생성된 가사와 곡이 마음에 안 들면 언제든지 변경이 가능합니다. 만들어진 가사를 약간 변경하고 싶을 때 리믹스를 사용합니다.

기존에 만들어진 노래에서 더보기를 누르면 리믹스를 할 수 있습니다. 리믹스는 기존 가사를 가져와서 가사 수정, 곡 장르 변경 할 수 있습니다.

6. 리믹스로 노래 수정하기

1) 가사를 삭제하거나 더 추가합니다. 이부분에서 사람 이름을 추가하면 좋습니다.
2) 뮤직 스타일을 바꿉니다. 영문으로 rap, techno, rock 등을 입력하면 스타일이 반영됩니다. 하단에 있는 Use Ransom style을 누르면 랜덤으로 뮤직 스타일이 바뀝니다.
3) Create를 눌러 음악을 생성합니다.

제목으로 간단하게 노래를 만들고 리믹스로 세부적인 가사와 스타일을 적용하면 더 편하게 노래가 만들어집니다.

02-4 안내방송 목소리가 필요하다면, AI성우, 타입캐스트

타입캐스트는 텍스트를 입력하면 AI성우가 나레이션해줍니다. 유튜브, 아파트방송, 가상 아바타에 인공지능 목소리를 사용합니다.

타입캐스트 특징
- 텍스트 입력하면 AI목소리로 제작
- 무료 버전은 매월 5분 제공(출처 표시)

---

1. typecast.ai에 접속하고 회원가입을 합니다.

2. 새로 만들기

새로 만들기에서 세로 쇼츠 프로젝트를 선택합니다.

3. 사용할 목소리를 추가합니다.

+ 버튼을 눌러 목소리 캐릭터를 추가합니다.

미리 듣기로 목소리를 들어보고 선택합니다.
선택 후 프로젝트에 추가하면 목소리 추가가 완료됩니다.

3. 대사 입력

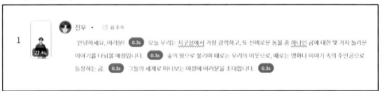

텍스트 대사를 입력합니다. 한 번에 많은 양의 대사로 입력이 가능
하며 자동으로 문단이 나눠집니다.

4. 두 명이상 캐릭터 선택 & 미리 듣기

1) 목소리 캐릭터를 고릅니다.
2) 미리 듣기로 목소리를 플레이합니다.

5. 목소리 다듬기(유료버전)

유료버전에서는 감정, 톤, 속도를 변경할 수 있습니다.

6. 다운로드

생성된 목소리는 [다운로드]메뉴로 다운로드 합니다.
오디오파일, 비디오 파일 선택 가능합니다.

7. 플랜 정보

인공지능 목소리는 무료부터 유료가지 다양합니다. 개인적으로 목
소리른 중요하다고 생각합니다. 목소리가 이상하면 중간에 영상에
서 이탈하는 경우가 생깁니다. AI목소리는 단순한 무료보다 특성이
있는 유료버전을 사용하는 것을 추천 드립니다.

02-5 나도 화가다, AI로 그림 그리기, 이미지크리에이터

이미지는 검색의 시대에서 창작의 시대로 넘어갔습니다. 원하는
이미지가 필요하면 바로 만들어보세요.

> **이미지크리에이터 특징**
> - Open Ai의 Dall-e3엔진을 사용합니다.
> - 한글로 프롬프트를 작성합니다.
> - 무료로 이미지를 생성합니다. (워터마크 없음)

1. www.bing.com/images/create에 접속하고 회원가입을 합니다.

2. 마이크로소프트 계정이 필요합니다.

MS계정이 없는 분은 새롭게 계정을 만들어주세요.

3. 이미지크리에이터(Dall-e) 활용분야

Dall-e 이미지 활용 분야

로고 디자인	책 표지 디자인	포스터 및 광고
상품, 패키지 디자인	소셜 미디어 콘텐츠	교육자료 / PPT
게임 / 엔터테인먼트	인테리어 디자인	개인 프로젝트(취미)

DALL-E는 OpenAI에 의해 개발된 고급 인공지능(AI) 이미지 생성 모델입니다 DALL-E의 뛰어난 점은 그것이 단순한 이미지 변환을 넘어서, 상상력과 창의력을 바탕으로 전혀 새로운 이미지를 창조할 수 있습니다.

4. 이미지 그리기

1) 프롬프트 창에 한글로 원하는 그림 내용을 입력합니다.
2) 만들기를 누르면 이미지가 생성됩니다.

5. 결과물 확인하기

만들기를 누르면 위 사진처럼 4개의 이미지가 만들어집니다.

다시 만들기를 누르면 새로운 이미지 4개가 다시 생성됩니다. 이미지를 클릭하면 오른쪽 메뉴가 보입니다.

1) 공유: 링크로 공유

2) 저장: 이미지크리에이터에 저장

3) 다운로드: 내 컴퓨터에 저장

6. 다른 이미지 참고하기

[아이디어탐색]을 누르면 샘플 이미지를 볼 수 있음.

샘플 이미지를 클릭하면 아래와 같은 프롬프트를 나옵니다. 프롬프트를 복사하여 프롬프트 입력창에 붙여 넣으면 샘플 이미지와 유사한 이미지를 그릴 수 있습니다.

7. 다양한 프롬프트 맛보기

입력프롬프트: 3D 여자 아이, 갈색 머리, 집 침대에 행복하게 앉아 있는 캐릭터, 풍부한 배경 콘텐츠, 디즈니/픽사 스타일 16:9 비율

입력 프롬프트: 공격 직전의 포즈를 취한 사이버틱 흰색 호랑이 이미지를 만듭니다. 타이거의 몸은 유기적 요소와 로봇 요소가 혼합된 매끄럽고 미래적인 디자인입니다.

털은 순백색에 상징적인 검은 줄무늬가 있으며, 기계 부품은 광택 있는 금속 마감에 푸른색 발광 악센트가 있습니다. 타이거의 눈은 발광하는 사이버네틱 푸른색과 매치되는 생생한 푸른색입니다. 현대적인 환경에 배치되어 있으며, 깨끗하고 하이테크한 느낌이 있고 바닥에 미묘한 반사가 있어 자연 요소와 첨단 기술이 결합된 세계를 암시합니다

입력 프롬프트: 사파리의 종이접기 코끼리, 정교한 추억, 영화 같은 사진 16:9 비율

입력프롬프트: 수중 사진, 산호초 주변을 헤엄치는 물고기와 함께 바다 밑바닥에 있는 새로운 깨끗한 빨간색 페라리 슈퍼카 16:9비율

입력프롬프트: 열린 창문을 통해 바라본 아늑한 카페의 내부를 와이드 포맷으로 포착한 사진을 상상해보세요. 창문은 자연스러운 액자 역할을 하며, 카페의 따뜻한 분위기와 함께 고객들의 일상적인 순간들을 담아냅니다.

02-6 나만의 만화를 그려보자, 코믹AI

그림 실력이 없어도 만화를 그립니다. 코믹AI는 만화를 전혀 그려본 적 없는 사람도 만화를 그릴 수 있도록 도와주는 AI입니다

> **코믹AI 특징**
> - 스토리를 만들어 줍니다.
> - 무료로 4000장 이미지를 만들 수 있습니다.

1. comicai.ai에 접속하고 회원가입을 합니다.

2. 작성하기

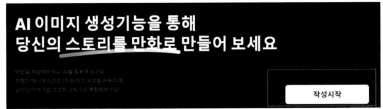

작성하기로 만화 그리기를 시작합니다.

3. 기본 내용 입력

1) 만화제목: 제목을 입력합니다.
2) 제작자: 이름을 입력합니다.
3) 그림 스타일을 선택합니다. (애니, 판타지, 로맨스, 액션 등)
4) 다음으로 넘어갑니다.

4. 스토리 작성

AI로 스토리를 작성합니다.
직접 작성하는 콘텐츠 추가 기능도 있습니다.
1) AI 생성 2) 주제 입력 3) 생성하기 4) 다음

6. 캐릭터를 만듭니다.

캐릭터를 직접 만듭니다.

1) 캐릭터 선택 혹인 뉴 캐릭터
2) 만든 캐릭터를 볼 수 있습니다.
3) 이름을 정합니다.
4) 외형묘사를 하고
5) 다시 생성하면 새로운 캐릭터가 생성됩니다.

같은 외형묘사에 갈색머리를 빨강머리로, 파란색 티셔츠를 노란색
티셔츠로 변경하면 위와 같은 이미지를 만듭니다.

뉴 캐릭터로 새로운 캐릭터를 만들 수 있습니다.

7. 패널(장면)을 생성합니다.

패널(장면)을 만듭니다. 기본적으로 스토리에 어울리는 장면을 자동으로 생성해줍니다. 기본 제공된 장면을 변경하면서 장면을 수정합니다.

1) 장면선택
2) 캐릭터 선택(누가 나오는 장면인지)
3) 장면 이미지 묘사(놀람, 앉아 있는, 배경)을 묘사합니다.
4) 다시 생성: 새롭게 장면이 만들어집니다.

장면설명: 두 캐릭터가 마주보고 싸웁니다.

패널(장면)이 완성되면 다음으로 넘어갑니다.

8. 장면 연결하기

1) 장면을 선택합니다.
2) 캔버스로 이동합니다
3) 프레임, 텍스트, 아이콘을 추가합니다.

프레임 추가하기

말풍선 및 자막 추가하기

스티커 추가하기

9. 다운로드

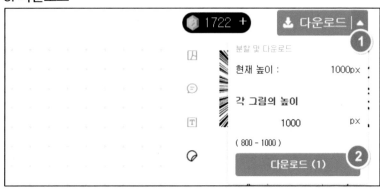

다운로드를 클릭하여 이미지를 저장합니다.

이미지 생성과 동영상 생성은 한 장면만 만드는 것에 비해 코믹 AI는 만화 스토리 전반적으로 만들어야 합니다. 그래서 아직은 장면을 만들거나 스토리와 똑 같은 배경을 만들기에는 아쉬운 부분이 있습니다. 이 프로그램은 아이디어 구상이나 초보자용으로 추천합니다.

CHAPTER 03

AI 전문가처럼 활용하기

03-1 내 영상을 다른 나라 말로 더빙, 일레븐랩스

유튜브도 글로벌 시대, 내 영상을 다른 나라 언어로 더빙합니다.
영상을 업로드하고 더빙할 언어만 선택하면 바로 만들어집니다.

일레븐랩스 특징
- AI성우 타입캐스트와 같은 AI성우입니다.
- 월 1만자 무료 제공
- 57개 언어의 비디오를 29개 언어로 번역합니다. 분당
  2000자로 청구됩니다.
- 원본 영상의 목소리의 고유한 톤을 참고합니다.

---

1. elevenlabs.io에 접속하고 회원가입을 합니다.

2. 더빙 메뉴를 선택합니다.

2. 더빙 메뉴를 선택합니다.

1) 프로젝트 이름을 작성합니다.
2) 원본 동영상 언어를 선택합니다.
3) 더빙할 언어를 선택합니다.
4) 동영상 업로드 혹은 유튜브 주소를 입력합니다.
5) Create 클릭 후 생성합니다.

3. 더빙 결과물 확인하기

View를 눌러 영상을 확인합니다.

1) 삭제 2) 다운로드 3) 보기

03-2 텍스트를 입력하면 동영상으로 만들어주는 런웨이ML

RunwayML은 창작자들을 위해 인공 지능(AI) 도구와 모델을 제 공하는 플랫폼입니다. 사용자는 비디오, 이미지, 음악, 텍스트 등 다 양한 창작물을 만들기 위해 AI를 활용할 수 있습니다. 텍스트를 입 력하면 움직이는 동영상으로 만들고 사진을 업로드하면 움직이는 영상으로 만들어줍니다. 런웨이ML은 크게 두가지 모델이 있습니다. 첫 번째는 Gen1: Video to Video 비디오를 업로드하고 다른 비디오 로 변경하는 버전입니다. 두 번째는 Gen2: Text/Image to Video는 텍스트와 이미지로 비디오를 만드는 버전입니다.

런웨이ML 특징
- 동영상을 4~16초까지 생성
- 무료버전은 125크래딧 제공
- 움직이는 방향과 움직이는 대상을 정할 수 있음
- 현재는 영어 프롬프트만 가능함

---

1. runwayml.com에 접속하고 회원가입을 합니다.

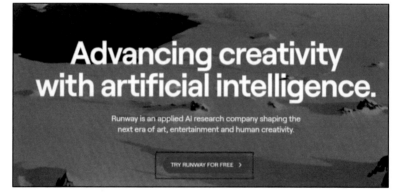

2. Gen2 메뉴를 클릭합니다.

텍스트와 이미지로 비디오를 만드는 Gen2로 입장합니다.

3. 메뉴 살펴보기

1) Text: 텍스트를 입력하여 비디오를 생성

2) Image: 이미지를 업로드 하여 비디오를 생성

3) Image + Description: 이미지에 대한 추가 설명

4) 설정: 화질개선, 워터마크 삭제(유료버전) 등 세부 설정 공간

5) General Motion: 움직임 조절

6) Camera Motion: 카메라 움직임

7) Motion Bruch: 움직이는 방향과 대상 설정

8) 미리보기

9) 생성하기

4. 텍스트로 동영상 생성하기

런웨이ML은 한글 프롬프트가 안 되어 영어로 번역해서 프롬프트를 준비합니다. 영어번역은 구글번역, Deepl 등을 사용합니다.

1) 텍스트로 변경
2) 주제 텍스트를 입력합니다.
3) 가로, 세로 비율을 선택합니다.
4) Generate를 눌러 영상을 생성합니다.

1) 결과물을 재생합니다.

2) 기본 4초에서 추가적으로 4초를 더 생성합니다. (최대 16초까지 만들 수 있습니다)

3) 공유

4) 다운로드로 컴퓨터에 저장합니다.

5) 삭제

5. 텍스트로 동영상 생성하기_세부 메뉴 사용하기

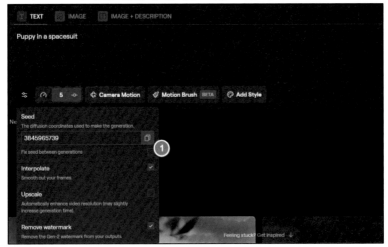

텍스트를 입력하고 설정으로 들어갑니다. 설정에 Fix seed between Generations는 영상의 개체가 변하지 않도록 체크해 줍니다. 체크를 안 하면 다른 모양으로 변형될 수도 있습니다. 예들 들어 사람이 전혀 다른 모양으로 변형됩니다. 그래서 인물이나 동물은 체크하는 것을 추천 드립니다.

카메라 움직임을 설정합니다. 왼쪽에서 오른쪽으로 위쪽에서 아래쪽으로 같은 카메라 움직임 방향을 직접 설정할 수 있습니다.

모션 브러시 사용법: Free Preview를 눌러 미리 보기를 만듭니다. Use as image input을 눌러 이미지를 사용합니다.

Motion Brush를 클릭합니다.

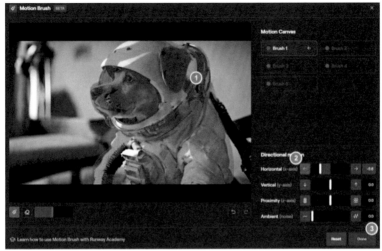

1) 브러시로 대상을 지정합니다.

2) Directional motion(방향 모션을 지정합니다)

Horizontal (x-axis) 수평(x축)

Vertical (y-axis) 수직(y축)

Proximity (z-axis) 근접(z축)

Ambient (noise) 주변(노이즈)

6. 이미지로 움직이는 영상 만들기

1) Image 메뉴 선택

2) 이미지 파일 업로드

3) 생성

결과물을 확인합니다.

1) 결과물 재생
2) 4초 추가로 영상 생성
3) 공유
4) 다운로드
5) 삭제

카메라 움직임 사용하기

카메라의 방향 왼쪽, 오른쪽, 위쪽 아래쪽, 줌인 줌 아웃 등
카메라 움직임을 조정합니다.

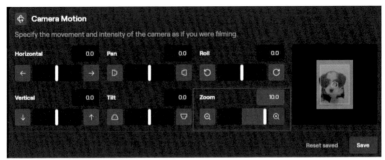

"줌인을 효과를 만들고 싶다"라고 하면 Zoom기능에서 + 표시를 눌러 효과를 줍니다. 그리고 Save를 누르면 효과가 반영됩니다.

03-3 이미지 편집도 내 마음대로, Canva

Canva는 사용자가 전문가 수준의 디자인을 손쉽게 만들 수 있도록 도와주는 온라인 그래픽 디자인 툴입니다.

Canva 특징
- 템플릿으로 디자인, 영상을 제작합니다.
- 무료/유료 버전이 있습니다.
- 이미지배경삭제, 이미지 생성, 이미지 확장에 AI기능을 활용합니다.

---

1. www.canva.com에 접속하고 회원가입을 합니다.

Canva는 문서, 프레젠테이션, 소셜미디어 콘텐츠, 동영상, 웹사이트 등을 만드는 콘텐츠 제작 도구입니다.

2. Canva 템플릿으로 인스타그램 게시물 만들기

1) 소셜미디어 2) 인스타그램 게시물을 선택합니다.

3) 템플릿을 고르면 4)캔버스에 디자인이 생성됩니다.

5) 텍스트를 더블클릭하고 수정합니다. 6)폰트 7) 크기 수정

3. 완성된 결과물 다운로드

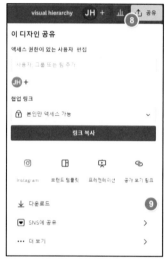 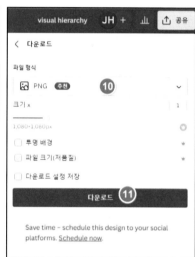

8) 공유 9)다운로드를 클릭합니다.

10) 이미지 파일은 PNG파일 선택 11) 다운로드하면 내 컴퓨터로 저장됩니다.

4. AI도구로 디자인 편집하기

빈 캔버스를 준비합니다.

1) 소셜미디어 2)인스타그램 게시물

AI로 이미지를 생성합니다.

왼편 메뉴 중에 1)요소 2)나만의 이미지 생성하기를 클릭합니다.

1) 프롬프트 입력창에 원하는 이미지를 입력합니다(꽃다발을 들고 있고 정면을 바라보는 여자)

2) 스타일을 사진으로 고릅니다.

3) 이미지 생성을 누르면 이미지가 생성됩니다.

4) 이미지 선택 -> 캔버스로 이동

5) 다시 생성하기 -> 이미지 재생성 됩니다.

5. AI도구로 이미지 추가하기

사진에 없었던 이미지를 AI도구로 그려 넣습니다.

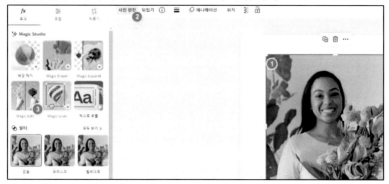

1) 사진을 클릭합니다.

2) 사진편집 클릭

3) Magic Edit를 클릭합니다.

4) 빈공간에 브러시를 칠하고 5) 계속하기

6) 추가할 내용 입력 7) 생성하기

생성된 이미지를 클릭하면 앞에서 브러시질 한 곳에 이미지가 추가 됩니다. 이런 방식으로 기존 사진에 없었던 이미지를 추가할 수 있 습니다.

6. AI도구로 사진 확장하기(유료 기능)

잘린 사진을 연결하거나 배경을 확장할 때 사용합니다.

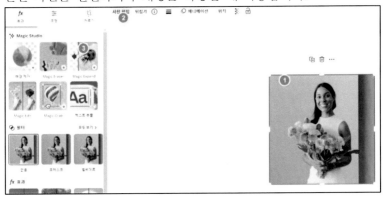

1) 사진 선택
2) 사진 편집
3) Magic Expand 선택

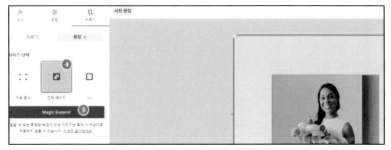

4) 확장할 영역을 지정하고

5) Magic Expand를 누르면 사진이 확장됩니다.

결과물은 아래와 같습니다.

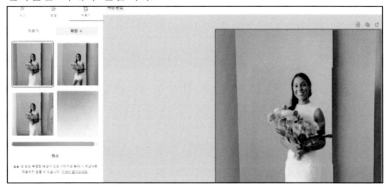

사진처럼 배경이 확장되었습니다. 사진을 찍다 신체 일부가 잘린 사진이라면 배경 확장 기능을 이용하여 신체를 복원할 수 있습니다. 인공지능이 기존 사진의 의상, 피부색, 배경을 분석하여 이미지를 만들어 줍니다. 인공지능이 완벽하지는 않습니다. 확장된 이미지가 마음에 들지 않으면 다시 생성하기를 눌러 재시도를 해야 합니다.

8. AI도구로 배경 삭제하기(유료 기능)

사람, 동물, 물건의 배경을 AI가 삭제합니다.

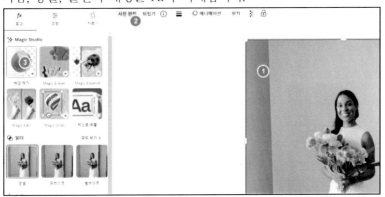

1) 사진 선택 2) 사진 편집 3) 배경 제거 선택

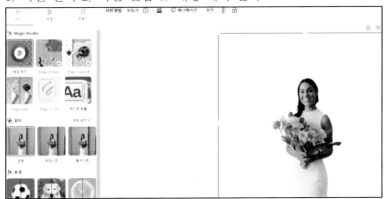

인물 뒷배경이 삭제되었습니다.

전단계를 누르면 이전으로 되돌아옵니다.

9. AI도구로 배경과 요소 분리하기(유료기능)

인물과 배경을 분리하는 AI기능입니다.

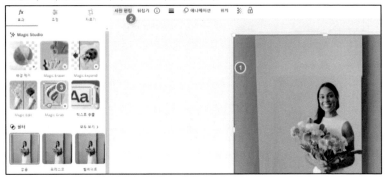

1) 사진선택 2) 사진편집 3) Magic Grab 선택

결과물: 이미지와 배경이 분리가 됩니다.

이미지가 분리되면 뒤의 배경은 다른 같은 배경으로 만들어지며 분리된 이미지는 이동 가능합니다. 위 화면처럼 복사 붙여넣기를 하면 두 명의 사람을 만들 수 있습니다.

03-4 AI로 웹사이트를 만든다, 프레이머 AI

framer-ai는 사용자가 쉽게 웹사이트를 만들 수 있도록 도와주는 AI도구입니다. 주제 입력만으로 웹사이트가 만들어집니다.

> **프레이머 AI 특징**
> - 주제 입력만으로 웹사이트가 생성됩니다.
> - 무료로 실습 가능

1. www.framer.com에 접속하고 회원가입을 합니다.

2. 새로운 프로젝트를 만듭니다.

New Project를 클릭합니다.

3. 웹사이트 작업창

웹사이트 작업창입니다. 이 곳에서 웹사이트를 만들 수 있습니다. 프레이머는 웹사이트를 파워포인트처럼 간단한 조작만으로 웹사이트가 만들어지는 툴입니다. 저희는 웹사이트를 하나씩 만들기보다는 AI 기능으로 큰 틀을 만드는 방식을 알아보겠습니다.

4. AI로 웹페이지 생성하기

1) Actions를 선택

2) Generate page 선택

1) 웹사이트 주제를 입력 2) Start 클릭

웹사이트 결과물 생성

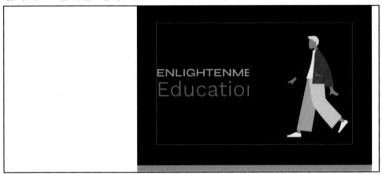

위와 같이 웹사이트 결과물이 생성됩니다.

5. 텍스트 수정 및 발행

텍스트를 더블 클릭하여 내용을 수정합니다.

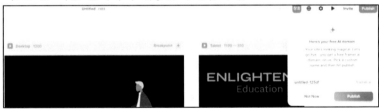

오른쪽 상단에 Publish를 누르면 웹페이지가 발행됩니다.

03-5 상세페이지를 동영상으로, VCAT AI

VCAT.AI는 AI 기술을 활용하여 상세 페이지 정보를 기반으로 마케팅 영상을 자동으로 제작하는 서비스입니다. 사용자는 상품 이미지 선택이나 광고 문구 작성에 시간을 소비할 필요 없이, VCAT.AI에 상세 페이지의 URL만 제공하면 됩니다. 이 플랫폼은 제공된 정보를 분석하여, 상품의 특징과 매력을 강조하는 맞춤형 마케팅 비디오를 자동으로 생성합니다.

VCAT AI 특징
- ULR만으로 제품 영상 완성
- 30크레딧 무료 제공

---

1. vcat.ai에 접속하고 회원가입을 합니다.

2. URL로 영상 만들기

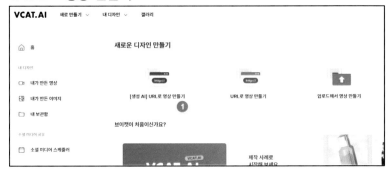

3. URL로 입력하기

1) 상세페이지 주소를 입력합니다.

2) 화면 비율을 정합니다. 16:9 가로, 9:16세로

3) 상품 ULR이 없다면 이미지 업로드 가능합니다.

4) 시작을 눌러 동영상으로 제작합니다.

URL을 분석합니다.

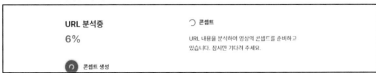

4. 결과물 확인하기

URL에 있는 내용으로 동영상이 제작됩니다.

5. 응용하기

영상이 마음에 안 들면
1) 추천 템플릿에 있는 영상 템플릿을 선택합니다.
2) 영상 만들기를 누르면 템플릿 영상과 같은 영상이 제작됩니다.

책의 마지막 페이지를 넘기며 여러분과 나누고 싶은 몇 가지 생각이 있습니다. "삶의 무기가 되는 생성형 AI: 일상을 혁신하는 인공지능 활용법"을 통해 인공지능이 우리의 삶을 어떻게 변화시킬 수 있는지, 그리고 그 변화를 어떻게 우리의 이익으로 활용할 수 있는지에 대해 알아보았습니다. 이 여정을 함께 해주신 여러분께 진심으로 감사드립니다.

인공지능 기술은 날이 갈수록 발전하며, 그 가능성은 무궁무진합니다. 하지만 기술의 발전만큼이나 중요한 것은 그 기술을 어떻게 활용하느냐입니다. 우리는 AI를 단순히 일상의 작업을 자동화하고 효율을 높이는 도구로만 볼 것이 아니라, 창의력을 발휘하고 새로운 가치를 창출하는 데 필수적인 파트너로 인식해야 합니다.

이 책에서 소개한 다양한 활용 사례와 아이디어들이 여러분의 일상에 새로운 영감을 주었기를 바랍니다. 무엇보다, AI와 함께하는 미래를 두려워하기보다는, 이를 우리 삶의 질을 향상시키는 데 도움이 되는 도구로 받아들이며 적극적으로 활용하는 태도가 중요합니다.

기술은 결국 사람을 위한 것입니다. 우리가 AI를 어떻게 활용하느냐에 따라 그 가치는 천차만별로 달라집니다. 이 책이 여러분에게 AI를 더 잘 이해하고, 더 효과적으로 활용하는 데 도움이 되었다면, 저로서는 더할 나위 없는 기쁨입니다.

앞으로도 계속해서 AI와 같은 신기술에 대한 깊은 이해와 창의적인 활용 방법을 모색하는 여정에 여러분 모두가 함께하시길 바랍니다. "삶의 무기가 되는 생성형 AI"와 함께라면, 우리는 분명 더 나은 미래를 만들어갈 수 있습니다.

여러분의 삶에 창의력과 혁신의 씨앗이 되길 바라며, 이 책을 마칩니다. 우리 모두의 미래가 AI와 함께 더욱 밝고 풍요로울 것임을 믿어 의심치 않습니다.

감사합니다.